DU MÊME AUTEUR

Romans, récits, nouvelles

LES VARIATIONS GOLDBERG, ROMANCE, Seuil, 1981 ; Babel n° 101.
HISTOIRE D'OMAYA, Seuil, 1985 ; Babel n° 338.
TROIS FOIS SEPTEMBRE, Seuil, 1989 ; Babel n° 388.
CANTIQUE DES PLAINES, Actes Sud / Leméac, 1993 ; Babel n° 142.
LA VIREVOLTE, Actes Sud / Leméac, 1994 ; Babel n° 212.
INSTRUMENTS DES TÉNÈBRES, Actes Sud / Leméac, 1996 ; Babel n° 304.
L'EMPREINTE DE L'ANGE, Actes Sud / Leméac, 1998 ; Babel n° 431.
PRODIGE, Actes Sud / Leméac, 1999 ; Babel n° 515.
LIMBES / LIMBO, Actes Sud / Leméac, 2000.
VISAGES DE L'AUBE, Actes Sud / Leméac, 2001 (avec Valérie Winckler).
DOLCE AGONIA, Actes Sud / Leméac, 2001 ; Babel n° 548.
UNE ADORATION, Actes Sud / Leméac, 2003 ; Babel n° 650.
LIGNES DE FAILLE, Actes Sud / Leméac, 2006 ; Babel n° 841.
LISIÈRES, Biro éditeur, 2008 (avec Mihai Mangiulea).

Livres pour enfants

VÉRA VEUT LA VÉRITÉ, Ecole des loisirs, 1992 (avec Léa).
DORA DEMANDE DES DÉTAILS, Ecole des loisirs, 1993 (avec Léa).
LES SOULIERS D'OR, Gallimard, "Page blanche", 1998.
TU ES MON AMOUR DEPUIS TANT D'ANNÉES, Thierry Magnier, 2001 (avec Rachid Koraïchi).

Essais

JOUER AU PAPA ET A L'AMANT, Ramsay, 1979.
DIRE ET INTERDIRE : ÉLÉMENTS DE JUROLOGIE, Payot, 1980 ; Petite bibliothèque Payot, 2002.
MOSAÏQUE DE LA PORNOGRAPHIE, Denoël, 1982 ; Payot, 2004.
A L'AMOUR COMME A LA GUERRE, CORRESPONDANCE, Seuil, 1984 (avec Samuel Kinser).
LETTRES PARISIENNES : AUTOPSIE DE L'EXIL, Bernard Barrault, 1986 ; J'ai lu, 1999 (avec Leïla Sebbar).
JOURNAL DE LA CRÉATION, Seuil, 1990 ; Babel n° 470.
TOMBEAU DE ROMAIN GARY, Actes Sud / Leméac, 1995 ; Babel n° 363.
DÉSIRS ET RÉALITÉS, Leméac / Actes Sud, 1996 ; Babel n° 498.
NORD PERDU suivi de DOUZE FRANCE, Actes Sud / Leméac, 1999 ; Babel n° 637.
ÂMES ET CORPS, Leméac / Actes Sud, 2004 ; Babel n° 975
PROFESSEURS DE DÉSESPOIR, Leméac / Actes Sud, 2004 ; Babel n° 715.
LE CHANT DU BOCAGE, Actes Sud, 2005 (avec Tzvetan Todorov ; photographies de Jean-Jacques Cournut).
PASSIONS D'ANNIE LECLERC, Actes Sud / Leméac, 2007.
L'ESPÈCE FABULATRICE, Actes Sud, 2008.

Théâtre

ANGELA ET MARINA, Actes Sud-Papiers / Leméac, 2002 (en collaboration avec Valérie Grail).
UNE ADORATION, Leméac, 2006 (adaptation théâtrale de Lorraine Pintal).
MASCARADE, Actes Sud Junior, 2008 (avec Sacha).

JOCASTE REINE

NANCY HUSTON

Jocaste reine

THÉÂTRE

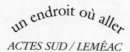

ACTES SUD / LEMÉAC

PERSONNAGES

Jocaste
Œdipe
Polynice
Etéocle
Antigone
Ismène
Eudoxia
Le Coryphée

PROLOGUE

Avant le lever du rideau. Noir.

JOCASTE.
Dans mes bras !

Cri de jouissance d'un homme… Silence… Cri d'accouchement de Jocaste… Silence… Cri d'un bébé…

Dans mes bras !

Cris de garçons jouant à la guerre… Silence… Cris d'hommes faisant la guerre… Silence… Et cela recommence. Cinq fois en tout. Puis le rideau se lève.

scène 1

Chambre royale au palais de Thèbes.

JOCASTE.
Tu es réveillé ?

ŒDIPE.
Depuis un bon moment déjà, je te regarde…

JOCASTE.
O bien-aimé ! chaque matin à présent
la lumière m'apporte des pensées sombres.
Les premiers rayons du soleil sont des dards
qui s'enfoncent dans mon âme, m'annoncent
que ma vie s'écoule et que, dorénavant,
je ne pourrai que perdre… perdre… perdre.
Peu à peu le monde s'éloignera de moi.
Ma beauté s'altère déjà, elle s'en va, elle est
    partie,
mon ventre a renoncé à faire, chaque mois,
son nid de sang dans l'espoir d'une nouvelle
    vie,
ma peau est comme la terre autour de Thèbes :
fissurée, craquelée, torturée par la sécheresse…

Quels dégâts, Œdipe ! quelle poussière, cela
    m'effraie !
Ces cheveux qui se givrent en un hiver défini-
    tif,
sans espoir de printemps… ces pauvres mains,
gracieuses jadis, devenues bosselées, endolo-
    ries…
Le jour viendra, c'est inévitable, où – toi-même
dans la force de l'âge – tu te lasseras de mon
    corps.
Plus de vingt hivers, déjà, que tu le caresses !
"Suffit, cette vieille peau ! te diras-tu.
Alors que je pourrais avoir dans mon lit
les plus belles hétaïres du royaume, les jeunes
    danseuses,
comédiennes, musiciennes, les vestales
lisses et sinueuses aux robes légères,
aux bras graciles et au ventre plat… pour-
    quoi
rester auprès de cette sorcière flapie ?
Quatre enfants elle m'a donnés, cela suffit !"

ŒDIPE.
Chut… chut…

JOCASTE.
O Œdipe ! Nos fils ont déjà de la barbe ;
leurs voix sont chaque jour plus puissantes.
A force de jouer aux hommes, de mimer la
    bataille,
ils se sont mués en hommes vrais, munis de
    vraies armes.
A tes côtés ils vaquent aux affaires de la cité,
et piaffent de faire la guerre. Nos filles, bien
    que plus petites,
montrent déjà des rondeurs et se plaignent
d'avoir les seins sensibles – ô douces douleurs
    lointaines…

A leur tour elles partiront… se marieront, de-
   viendront mères…
Tout cela est dans l'ordre des choses, je le sais
   et je l'accepte…
Mais voudras-tu, de ta langue royale,
titiller le clitoris d'une grand-mère ?

ŒDIPE.
Tu vas à la pêche aux compliments, ma reine,
c'est bien vilain à toi. Mais, comme chaque fois,
la pêche sera bonne. Sublime Jocaste,
loin de me lasser de ton corps, quand je le vois
   nu,
je pense aux joies qu'il m'a déjà données.
Me reviennent – à flots, fabuleux –
mille souvenirs de nos étreintes passées.
Mon sang s'accélère, enfle, bat,
et je te désire à nouveau. Me lasser de Jocaste ?
Autant me lasser de respirer ou de boire.
Je te contemple et, comme lorsqu'on regarde
   en face le soleil,
ton éblouissante beauté m'amène les larmes
   aux yeux.
L'argent venu se mêler à l'or de tes cheveux
rehausse ta noblesse, renforce l'éclat de ta
   splendeur.
Ta peau n'est pas muette comme celle des jeunes filles insipides.
Elle parle, rit, pleure, pense, comprend et com-
   patit.
Livre inépuisable, elle me raconte des histoires.
Ta langue est de chair et d'esprit,
pour ma sidération renouvelée.
Elle lèche mon membre et me fait défaillir ;
elle forme des mots et me fait réfléchir…

C'est ainsi que tu es, Jocaste, épouse délirante,
depuis le premier jour, et de plus en plus.
La pensée de toi me maintient debout : sans
elle,
je m'effondrerais comme une baudruche vide
et ma parole perdrait toute sa puissance.

JOCASTE.
Tu exagères… mais cela me plaît grandement,
et je t'autorise à poursuivre encore un peu.

ŒDIPE.
Je suis fou de toi ! jaloux de tous ceux qui t'ap-
prochent.
Je jalouse même les moustiques qui, l'été,
viennent transpercer ta peau dorée,
pomper ton sang royal… Crois-moi, Jocaste !
Les jours qui passent ne t'ôtent rien du tout.
Ils ne font qu'ajouter, ajouter toujours plus
à ta beauté, à ta sagesse – tel un puits qui,
creusé plus profond, apporte plus d'eau,
calme plus de soifs. Jocaste, ce n'est pas Thèbes
mon royaume, c'est toi. Toi ma forteresse… ma
cité adoptive,
ville aimée entre toutes, et dont je connais
chaque parcelle,
chaque arête, chaque tour, chaque ruelle… et
les sept portes…
(Enumérant.) Les deux narines, les deux oreil-
les, la bouche,
et puis… et puis… *(L'embrassant.)* Ah ! j'avoue
avoir un faible
pour ces deux dernières, la sixième et la sep-
tième…

Il lui fait l'amour avec ses mains.

Peu à peu, vois-tu,
au long des années, j'ai épaissi les murs
pour que la cité soit mieux protégée…
pour que rien, jamais, ne puisse l'atteindre ni
    l'abîmer…
Même aveugle, je la reconnaîtrais entre mille !

JOCASTE.
O mon homme ! Il vaudrait peut-être mieux
que tu sois aveugle en effet, à partir de main-
    tenant…
Tant de bonheurs tu m'as donnés,
instant par instant, et dans la profondeur du
    temps.
Nos quatre enfants, quatre fontaines miracu-
    leuses
jaillies de mes dernières années fertiles,
me laissent à chaque fois stupéfaite,
incrédule. Moi ? toute cette félicité serait donc
donnée à moi, Jocaste-la-malheureuse ?
… Quand je les allaitais, Œdipe, tu venais par-
    fois,
pendant nos jeux d'amour, téter le lait de mes
    seins…
Tu te rappelles ?

ŒDIPE.
Oui, amour. Hier, c'est aujourd'hui.

JOCASTE.
Non. Non, mais tous les hiers sont en nous à
    jamais.

LE CORYPHÉE.
Une journée qui commence si bien ne peut
    que mal tourner

– car, comme le dira quelque vingt-trois siècles
    plus tard
un certain Tolstoï dans un de ses romans-
    fleuves,
les mariages heureux n'ont pas d'histoire. Or,
    nous sommes
bel et bien dans ce palais pour entendre une
    histoire, n'est-ce pas ?
Le ver doit donc être déjà dans le fruit, le tout
    est de savoir
de quel côté au juste, et quelle espèce de ver.
(Surprenant, tout de même, ce "clitoris"
– mais il est vrai que le mot est d'origine grec-
    que et donc,
s'ils avaient le mot, ils devaient bien avoir la
    chose.
Que ne nous aura pas fait perdre le christia-
    nisme !)

*Jocaste s'est levée. Elle ouvre les fenêtres de la
chambre et on entend, venant de la rue dehors,
un gémissement atroce.*

Ah ! des Thébains agonisant de la peste.
Voilà qui va déjà mieux.

*Jocaste se penche pour embrasser les pieds
d'Œdipe.
Encore des gémissements…
Soucieux soudain, Œdipe se lève à son tour.
On voit qu'il boite très légèrement.
Jocaste revêt sa robe de chambre en chanton-
nant ; les gémissements des pestiférés viennent
se mêler à son chant…*

scène 2

Œdipe, Jocaste, Antigone, Ismène.
La vieille servante Eudoxia leur sert le petit-déjeuner.
En arrière-fond, bataille dansée de Polynice et d'Étéocle.

ISMÈNE.
Je suis debout, il est couché. Je suis couché, il
    est debout. Qui suis-je ?

ŒDIPE.
Euh… je donne ma langue au chat.

EUDOXIA.
A la Sphinxe, tu veux dire !

ISMÈNE.
Réfléchis, papa ! Réfléchis ! Voyons,
tu ne trouves pas ?… C'est le pied !

ŒDIPE.
Ah oui bien sûr. Où ai-je la tête ?

EUDOXIA.
Euh… dans la lune ?

JOCASTE.
Euh… sur les épaules ?

ŒDIPE.
Ce n'était pas une devinette !

ANTIGONE.
J'en ai une !
Si on tue ses parents, on est un parricide,
si on tue son frère ou sa sœur, un fratricide.
Mais si on tue son beau-frère, on est quoi,
    papa ?

ŒDIPE.
Je n'ai pas le temps aujourd'hui, fillettes.

ISMÈNE.
Tu dis toujours ça !

ŒDIPE.
Eh bien,
c'est que c'est toujours vrai.

JOCASTE.
Non, non, en fait,
avoue-le, tu es devenu très bête.

ŒDIPE.
Pas de doute :
mon esprit était plus vif, plus allègre
avant d'assumer les charges de Thèbes
et – bien plus pesant encore – le fardeau
de quatre lascars perpétuellement affamés...

ISMÈNE.
Ça, affamés, c'est vrai ! Tous, nous le som-
    mes.
Moi de bonne bouffe, Antigone de savoir,
Etéocle et Polynice, de gloire et puis de gloire !

ANTIGONE.
Hé, oh ! et ma devinette ? ! Papa, réponds !
Si notre oncle Créon t'assassinait, il serait quoi ?

JOCASTE.
Il serait malavisé pour le moins...

ŒDIPE.
Non, dis-le-nous.

ANTIGONE.
Eh bien... insecticide, car
il aurait tué l'époux de sa sœur !

ŒDIPE.
Bon. Mange, maintenant.

ISMÈNE.
J'en ai une :
qu'est-ce qui fait que tous les hommes sont
beaux ?

EUDOXIA.
Euh… une potion magique ?

JOCASTE.
Euh… l'amour ?

ANTIGONE.
Non, facile : l'obscurité.

EUDOXIA.
Elle est bien bonne !

ISMÈNE.
Tu la connaissais, c'est tricher…

ANTIGONE.
Je t'assure que non. De la pure déduction lo-
gique.

ISMÈNE.
Je ferai tout pour te gâcher ta prochaine,
et tu verras comme c'est plaisant…

JOCASTE.
Trêve de chamailleries, les filles… Habillez-
vous !
Aujourd'hui, comme tous les jours en ce moment,
en raison du fléau qui frappe la ville,
on a besoin de votre aide, Eudoxia et moi…

ISMÈNE.
Oui, mère.

EUDOXIA.
Toi, Ismène, tu sais déceler de la peste
les premiers symptômes… Explique à Anti-
    gone,
qui n'écoute jamais mes leçons. Que faut-il
    faire ?

ISMÈNE.
Avant même la fièvre et les vomissements :
glisser discrètement une main sous le bras de
    la personne
et tâter – toujours discrètement bien sûr –
à la recherche d'une petite boule nommée
    bubon…

ANTIGONE.
Arrête, tu me chatouilles ! Papa, une dernière !
J'ai un bras, trois têtes et quatre jambes, qui
    suis-je ?

EUDOXIA.
Euh… un cauchemar ?

ANTIGONE.
Allez, papa !

JOCASTE.
Laisse ton père tranquille !
Il a besoin de rassembler ses forces…
La situation est grave.

ANTIGONE.
Zut à la fin !
Où est Œdipe, et sa fameuse devinette ?

ISMÈNE.
Pourquoi ne chantes-tu plus, papa ?

ANTIGONE.
Pourquoi, père, ne me racontes-tu plus
les histoires des marins de Corinthe ?

ISMÈNE.
Pourquoi ne joues-tu plus de la flûte ?

ANTIGONE.
Oh, oui ! Rappelle-toi, papa, ces mélodies
que tu jouais jadis à la fête du printemps,
    quand
les jeunes filles dansaient nues dans les rues.
Viens, Ismène ! on s'entraîne, tu veux ?

JOCASTE.
Antigone chérie, ce n'est pas le moment.

*Soudain Œdipe se réveille. Il chatouille Ismène
et elle pouffe de rire. Se penchant vers Antigone, il la prend à la taille et la soulève de ses
bras avec une force, une facilité délicieuses.
Il l'élève au-dessus de lui, penchant son torse
et son visage en arrière. A ce moment la jeune
fille laisse échapper de sa gorge ou de tout son
corps plusieurs notes aiguës, ravies… On voit
qu'elle est follement amoureuse de son père. Il
la dépose.*

EUDOXIA.
Tu n'as pas le tournis ?

ANTIGONE.
Au contraire !

EUDOXIA.
C'est quoi le contraire du tournis ?

ANTIGONE.
L'amour de mon père met toutes mes idées en
    place.

JOCASTE.
Allez ouste, les filles ! la journée commence,
habillez-vous, vous savez comme cela m'en-
    nuie
de me répéter.

ISMÈNE *(à Antigone en sortant)*.
Et c'était quoi la réponse, alors ?

ANTIGONE.
La réponse à quoi ?

ISMÈNE.
J'ai un bras, trois têtes et quatre jambes, qui
    suis-je ?

ANTIGONE.
Une menteuse, évidemment.

Elles sortent. Eudoxia les suit.

ŒDIPE.
Je ne te l'ai pas dit, Jocaste… J'hésite encore à
    le faire
car je sais tes opinions en la matière
et redoute ta réaction…

JOCASTE.
Que de précautions oratoires !

ŒDIPE.
A ma demande, Créon ton frère est allé à Del-
    phes
consulter l'oracle pour savoir comment venir
    à bout
des malheurs qui accablent notre ville.

*Tonnerre, foudre : on voit s'ouvrir les re-
doutables portes en pierre du temple de Delphes,*

au-dessus desquelles peut se lire la devise :
"Connais-toi toi-même"… On voit la silhouette
noire d'un homme pénétrer dans le temple…
et s'allonger sur un divan. Derrière lui surgit
l'ombre effrayante du Pythanalyste.

JOCASTE.
Oh ! si ça vous amuse…
Les dieux s'amusent sûrement aussi,
mais ils n'y sont pour rien dans cette histoire.
La peste n'est ni mystère, ni malédiction,
mais maladie. L'un l'attrape, son souffle la trans-
    met
à ses proches, et les rats font le reste : voilà
    l'épidémie !
Franche, claire, fatale, elle appelle des solu-
    tions
fermes et sensées : organiser les soins des
    souffrants,
les séparer des bien portants, assainir les sour-
    ces,
s'acharner sur la vermine : travaux trop bas
pour des rois, sans doute ? trop humbles,
exigeant trop de patience ?

ŒDIPE.
Tes ironies me blessent. J'ai promis à ton frère
de le retrouver ce matin devant la salle des
    Juges
pour entendre le verdict d'Apollon.

JOCASTE.
Grand bien te fasse… Pardon.
Tu agiras selon ton jugement.
A plus tard, amour.

scène 3

*Eudoxia aide Jocaste à se préparer pour la jour-
née.*

EUDOXIA.
Je comprends que tu redoutes les oracles, douce
     reine,
après ce qui est arrivé à ton premier enfant.

JOCASTE.
Les redouter ? Mais non, Eudoxia, je les exècre
car ce fils est mort à cause de leur sentence.
Elle terrifia Laïos qui à son tour me terrifia,
     et,
cédant à sa double autorité, royale et mari-
     tale,
je remis l'enfant au berger pour qu'il l'expose.
J'étais jeune… mais je ne puis me le pardon-
     ner.

EUDOXIA.
Je sais, je m'en souviens…
Comme je t'ai plainte, pauvre petite !
Jamais tu n'avais aimé ce mari-là…

JOCASTE.
Hymen cruellement solitaire.

EUDOXIA.
Et pour cause : Laïos aimait les garçons !

JOCASTE.
Oui… et le bon vin.

EUDOXIA.
Et le pouvoir !

JOCASTE.
Il ne m'a épousée que parce qu'un roi
se doit d'avoir une reine, et une succession.
Heureusement que tu étais là, Eudoxia !
Tu faisais l'impossible pour m'égayer le jour,
mais la nuit ! ah ! la nuit ! J'avais douze ans,
puis treize et puis quatorze…

EUDOXIA.
Tu étais frêle comme un jeune saule…

JOCASTE.
Seule dans le silence du palais,
constamment surveillée mais seule,
mon corps de fillette se muait en corps de
      femme.
Prêtes pour l'amour, vibrantes de sensualité,
      mes formes
ne rencontraient nul œil pour les apprécier,
nulle main pour les flatter, nulle bouche pour
      les louer.
La nuit, seule dans mon lit, les yeux fermés,
je suscitais dans mon esprit les images trou-
      blantes
peintes sur les vases : nymphes et satyres co-
      pulant…
centaures, boucs ou chevaux au membre
      dressé…
Zeus en cygne violant Léda, Apollon enlaçant
      Daphné,
Vénus se penchant pour poser ses lèvres trem-
      blantes
sur celles d'Adonis endormi…

EUDOXIA.
Ah ! Adonis ! c'est mon préféré.
Mais avec une mention spéciale, je dois l'avouer,
pour les boucs.

JOCASTE.
Muscles, lèvres, doigts,
bras, jambes, cuisses, mollets, galbes…
Fabuleux tournoiement d'images m'inspirant,
au cœur de la nuit, des caresses solitaires,
me faisant soupirer, gémir et me pâmer sous
     les draps,
ventre dur tendu en avant, tête rejetée en ar-
     rière…
Et chaque matin, quand tu venais me réveiller,
je voyais s'étendre à l'infini devant mes yeux
encore une journée morne et monotone.

EUDOXIA.
Je te savais abattue, ma reine. Jour après jour
je te voyais dépérir d'ennui. Même le soleil
     brillant
de mes pitreries, le vent vif de mes chansons
     paillardes
ne pouvaient chasser de ton âme les lourds
     nuages.
Que faire ? Comment te venir en aide ?
Mes caresses à moi, chastes et maternelles,
ne pouvaient guère combler tes manques !
Et puis, au bout de deux années intermina-
     bles :
enfin de la compagnie ! Comme tu as adoré
     cela,
être enceinte !
Toutes tes grossesses, chacune des cinq
– mais la première plus que toutes.

JOCASTE.
Mon petit bébé… Mon bien,
mon beaucoup, mon plus-que-tout aimé.
Mon enfant chuchoté. Chair de ma chair.

Confident. Oui, compagnie pour moi, cet en-
    fant
intérieur ; mère et père ressuscités, ce fils :
me consolant, me ramenant vers la vie
après une si longue mort.
Pendant cette parenthèse bénie
les caresses solitaires n'ont pas cessé :
me caresser c'était aussi le bercer, lui,
le masser et lui donner de ma joie ;
vouloir la vie malgré tout ; vouloir
l'intense, l'exquise, la folle félicité.
L'avoir. En moi. Puis près de moi.
A jamais. Sans oser y croire.
Ne pas trop nommer, trop interroger.
Non : être. Etre, simplement :
avec, en, par, pour, autour de... *lui.*
Amour. Amour. Sans fin, circulaire.
Impérieux, aveugle, comme la vie elle-même.
Entre nous : une infinité.
L'amour sans nom, sans bornes.

EUDOXIA.
Pourtant il t'a fait drôlement mal en sortant,
ce petit ! Toi si fine, si étroite, encore enfant
    toi-même
ou presque, et lui : le gros gaillard !

JOCASTE.
Le premier à me déchirer...
C'est toi, Eudoxia, qui l'amenas à la lumière,
toi qui l'attrapas dans un lange blanc,
lavas les sanies et le sang qui l'enduisaient...
Façon si... canaille de venir au monde,
pour nous autres humains qui nous rêvons
    nobles :
précipitation de chairs bleutées,

giclement de sang, cris sauvages, grognements,
halètements de joiepeur, de peurjoie.

EUDOXIA *(chantant).*
L'homme entre et l'enfant sort.
L'enfant entre et l'homme sort.

JOCASTE *(chantant).*
Nous sommes le port terrible, l'allée et la venue.
Tous les temples, tous les foyers nous figu-
     rent.
Comment nous pardonner cette importance ?
(Revenant à sa voix parlée.) Bref. Après le… dé-
     part de cet enfant,
ce fut à nouveau l'enfer : dix-sept années
de viols et de solitude.

EUDOXIA.
Un mari en alternance absent et… beaucoup
     trop présent.

JOCASTE.
Avoir survécu à cela !

EUDOXIA.
Jamais, ma reine, je n'oublierai
ton soulagement en apprenant sa mort.

JOCASTE.
Oh oui… *(Chantant la première fois seule.)*
J'avais trop perdu : du temps, de la joie,
ma jeunesse, et cet enfant inoubliable.
Je ne voulais plus rien perdre.
Je ne voulais plus rien perdre !

EUDOXIA *(pendant que Jocaste chante le bis,
elle ajoute sa voix en harmonie).*
Tu avais trop perdu : du temps, de la joie,
ta jeunesse, et cet enfant inoubliable.

Tu ne voulais plus rien perdre.
Tu ne voulais plus rien perdre !

LE CORYPHÉE.
Elle me fait un peu peur, cette Jocaste.
Je sens qu'elle a, euh, comment dire… un grain.
Ceux qui se moquent de Vienne, 'scuse, de Delphes,
    phes,
et refusent d'aller poser des questions au Pythanalyste,
    nalyste,
sont souvent ceux qui en auraient le plus besoin…
    soin…

Chorégraphie : Polynice entraînant Antigone
aux arts de la guerre.

scène 4

Les cheveux attachés, un masque sur le visage,
Jocaste et Eudoxia sont assises dans le jardin
du palais parmi des bassines d'eau.
Elles trient des plantes pour des remèdes, lavent des pansements.
vent des pansements.
Les plaintes des pestiférés sont maintenant incessantes.
cessantes.
Le Coryphée est dans un coin.
Entre Ismène.

ISMÈNE.
Maman, ça y est…

JOCASTE.
Ça ? Quel ça y est, aujourd'hui, ma belle
    Ismène ?

ISMÈNE.
Le *ça*... de la femme, le *ça* rouge.

JOCASTE.
Non !

ISMÈNE.
Si !

JOCASTE.
Merveille !
Félicitations, doucette... Bienvenue dans l'écar-
    late
des mères futures, possibles ou imaginaires !
Rien de plus beau... tu verras...
que de se sentir, à un autre, indispensable !
Pendant quelque temps, du moins...

Antigone s'approche, se tient dans l'embrasure
de la porte. Ismène ne la voit pas.

ISMÈNE.
Je t'aimerai toujours, maman ! Même
quand mes cheveux à moi seront tout blancs !
Tu te rappelles, un jour quand j'étais petite
tu m'as dit : Je suis ta maman et tu es ma petite
    fille ;
plus tard, je deviendrai ta petite fille
et toi, ma maman ! Tu te rappelles ?
Alors j'écoute les histoires du monde
et les apprends par cœur
pour pouvoir te les raconter un jour
plus tard, quand tu seras ma petite fille
et moi ta maman.

ANTIGONE *(à part).*
Lèche-cul.

JOCASTE.
Tu n'as pas mal ?

ISMÈNE.
Ça tire un peu, c'est tout.

JOCASTE.
Avant ta grande sœur donc !

ISMÈNE.
Elle est trop maigre, Antigone ! tu l'as dit toi-
     même.
Elle doit manger si elle veut saigner.

Entre Antigone.

ANTIGONE.
Mange pour nous deux, petite potelée !
"Ça tire un peu, c'est tout…" Moi aussi
je tire un peu, figure-toi – mais à l'arc !
Au *ça* rouge de la femme, je préfère
les arts virils que m'enseignent mes frères :
l'arc et la flèche, le poignard, l'épée surtout…

JOCASTE.
Parfois je pense
que les hommes ne se font saigner
que pour nous égaler en la matière,
nous rattraper, en quelque sorte. Ils sont si
     fiers…

EUDOXIA.
Ah ! pour ça ! ils sont fiers de leurs saigne-
     ments !

JOCASTE.
Ils les choisissent, les désirent.

EUDOXIA.
Pourtant,
quand je fais des saignées à mes malades, c'est
     toujours
les messieurs qui tombent dans les pommes !

JOCASTE.
Je me rappelle le jour où Etéocle
se blessa pour la première fois dans une mêlée.
S'essuyant une larme au coin de l'œil,
il leva l'avant-bras pour montrer à son frère
      aîné
sa première véritable écorchure, toute rouge.

EUDOXIA.
Ah ! je le vois ! comme tu l'imites bien !

JOCASTE.
Polynice y jeta un œil, puis, roulant son pan-
      talon
jusqu'au genou, découvrit zébrures et coutu-
      res,
son pedigree à lui. Gravée dans la peau,
la vérité que chacun peut voir :
pas de blessure, pas d'histoire.

*Les quelques répliques qui suivent peuvent être
chantées comme une ritournelle.*

EUDOXIA *(chantant).*
Et nous pendant ce temps, on lave, on lave…
Sang d'homme ou sang de femme,
mêmement difficile à ôter du tissu !

JOCASTE *(chantant).*
Au moins les femmes c'est régulier :
un peu chaque mois, comme je vous ai expli-
      qué
– sauf les neuf où se fabrique en nous l'enfant,
pas de sang alors : c'est drôlement reposant !

EUDOXIA *(chantant).*
… Mais on se rattrape, crois-moi, à la fin des
      neuf :
Sploutch ! des linges, des chemises,
des draps entiers – tout trempés de sang !

ANTIGONE.
Berk ! Arrêtez, c'est dégoûtant !

EUDOXIA.
Qui veut les fins veut les moyens.
Six fois, moi, je suis passée par là…

JOCASTE.
Moi, cinq fois seulement : tu me bats…

ISMÈNE.
Quatre, tu veux dire !

JOCASTE.
Non, cinq.

ANTIGONE.
Idiote.

ISMÈNE.
Oh oui, pardon… j'oublie toujours.

Temps.

JOCASTE.
Puis recommencent, une fois l'enfant sevré,
les petits inconvénients d'une vie de femme,
contrepartie de sa prérogative sublime :
taches rouges sur les habits (les verra-t-on ?),
tiraillements dans le ventre (tisane, mon chou ?),
sautes d'humeur (Antigone les a, même sans
    le sang) !

EUDOXIA.
Ah ! bon débarras, je dis ! Fini pour moi, tout
    ça !

JOCASTE.
Du long chemin rouge qu'entame maintenant
    Ismène,
je viens juste de commencer à m'éloigner.

La chaleur de la jeunesse quitte mon corps,
et les brèves flambées de son feu mourant
me font rougir comme une vierge.
Oui : à présent, de la virginité,
je suis le miroir sarcastique.

Un bref silence…

ISMÈNE.
… Qui sait, maman ?
Peut-être que, comme toi, je me marierai deux
    fois !

ANTIGONE.
C'est bien, sœurette : ça compensera
mon zéro, et fera la bonne moyenne.

JOCASTE.
Tu dis ça, Antigone, mais j'ai cru remarquer
que la cour de ton cousin Hémon, fils de Créon,
ne te laissait pas indifférente.

ANTIGONE.
Je prends la cour sans la corde !
Hémon oui, hymen non. Mon cœur veut s'élan-
    cer
libre dans le monde, interroger le ciel, crier,
embrasser l'aventure, la solitude, tous les ver-
    tiges.
Ça fait longtemps que je le sais, mère :
je n'épouserai personne et n'aurai pas d'en-
    fants.
La quenouille, c'est bon pour Ismène.

ISMÈNE.
Merci ! Seulement, courageuse Antigone,
tu ne t'élanceras pas toute nue dans le monde,
quelqu'un devra tisser tes chemises ;
tu n'interrogeras pas le ciel le ventre vide,

quelqu'un devra remplir ton assiette ;
du reste, pour éprouver tes fameux vertiges,
il a bien fallu que quelqu'un te mette au monde.

ANTIGONE.
J'aime notre mère autant que toi, Ismène
– mais, c'est vrai, je tiens plus de notre père.
    Comme le sien,
mon sang frémit d'impatience. Mère le sait
    bien :
mon destin est d'être archère, cavalière – et
    même,
si Athéna le veut, une éclatante guerrière !

JOCASTE.
A la bonne heure !

ISMÈNE.
Si tu veux faire comme les Amazones
et te couper un sein, faudrait d'abord
que des seins te poussent !... Pardon.

JOCASTE.
Pourtant elle est palpitante aussi,
je t'assure, ma grande, la bataille des fem-
    mes.

EUDOXIA.
Ah ! pour ma part, je suis bien contente
de ne plus avoir à guerroyer dans cette arène.

JOCASTE.
Et à la fin : l'enfant. Miracle pur.

ANTIGONE.
Sauf quand il fait caca partout.

ISMÈNE.
Et quand il te réveille la nuit avec ses cris !

ANTIGONE.
Et quand il te fait des crevasses au bout des
    seins !

ISMÈNE.
Et quand il grandit !

JOCASTE.
Comme vous y allez ! *(Rires.)*
L'hymen aussi est pur miracle… du moins,
quand on aime son mari comme moi j'aime
    votre père.

ISMÈNE.
Vous êtes *exceptionnels*, toi et papa,
je ne connais aucun couple aussi uni que
    vous.

ANTIGONE.
Uni, c'est le cas de le dire. Certains jours,
on a du mal à les séparer !

JOCASTE.
Nous ne sommes pas les inventeurs de l'amour.

ISMÈNE.
Mais tu ne comprends pas, maman :
Antigone ne veut pas aimer un homme ;
elle veut *être* un homme.

ANTIGONE.
Non :
changer, plutôt, le sens des mots "homme" et
    "femme" !
Que plus personne ne s'étonne de voir les
    pères,
comme le nôtre, folâtrer avec leur marmaille
ni les mères, comme la nôtre, diriger un pays !

JOCASTE.
A votre âge, imaginez, j'étais déjà mariée !
Tôt orpheline, ma mère s'étant laissée mourir
après le suicide du roi mon père…

EUDOXIA.
– qui s'est jeté du haut des remparts
déjà pour délivrer Thèbes de la peste ! –

JOCASTE.
… j'étais un poids pour ma grand-mère Sé-
      mélé,
vieille femme un peu sorcière, un peu toquée,
et elle s'est délestée de ce poids en m'offrant,
âgée de douze ans seulement, à Laïos,
fils de son neveu Labdacos et roi de Thèbes…

ISMÈNE.
C'était un vieillard, alors ?

JOCASTE.
Non, un homme dans la force de l'âge,
comme votre papa aujourd'hui !
Mais pour *moi* c'était un vieillard.
(Son haleine : quelque chose d'effroyable !)

ISMÈNE.
Il était beau ?

ANTIGONE.
Il était moche, dis ?

JOCASTE.
Ses traits étaient beaux… quand il dormait !
Le reste du temps, on n'en voyait point la
      beauté,
tant elle était déformée par les rictus :
cupidité, pleutrerie, stupre, méchanceté…
Il m'enfermait dans le palais. Longtemps,

ô fillettes, votre mère fut malheureuse !
Elle menait une vie sans goût et sans but.
Son visage n'était qu'un masque souriant, et
     son corps,
une statue de reine figée, servant à exhiber
les robes en étoffes brillantes et chatoyantes,
les bijoux clinquants prouvant la richesse du
     roi...
"Je tiens, disait Laïos, à avoir beaucoup de ri-
     chesses
dans les salles de mon palais !
— Qu'est-ce que «beaucoup» ? lui demandai-je.
Ce n'est rien d'autre que le nom."

EUDOXIA.
Ah ! les noms. Ils tiennent beaucoup aux noms,
les hommes.

JOCASTE.
Oui ! ils y tiennent...
Et Laïos tenait à prolonger le sien.
Mais ayant échoué, en deux ans d'hymen,
à faire germer en mon giron l'héritier voulu,
il fit le voyage à Delphes pour que la Pythie
supplie le dieu d'exaucer son vœu.

*Tonnerre, foudre : on voit s'ouvrir les redou-
tables portes en pierre du temple de Delphes,
au-dessus desquelles peut se lire la devise :
"Connais-toi toi-même"... On voit la silhouette
noire d'un homme pénétrer dans le temple...
et s'allonger sur un divan. Derrière lui surgit
l'ombre effrayante du Pythanalyste.*

Apollon lui dit de ne pas procréer car, s'il avait
     un fils,
il périrait de la main de ce même fils.

LE CORYPHÉE.

Oui, mais si vous me permettez, oh, oh, oh,
    oh :

ce n'est pas pour dire, mais je vais le dire quand
    même,

car ce qui va sans dire va mieux en le disant.

Je ne puis, donc, m'empêcher de remarquer

avec tout le respect (peut-être) qui lui est dû

que Laïos ne tint pas compte de cette mise en
    garde !

Au contraire ! Il s'empressa de la bafouer !

Résumons. Il se rend à Vienne, 'scuse, à Delphes,
    et dit :

"Je veux un fils." On lui répond : "Ce serait
    votre mort".

Et que fait-il ? Il met sa femme en cloque !
    Comportement

pour le moins incohérent, avouez-le !

JOCASTE.

Le vin avait, sur ses actions,

plus d'influence que la parole du dieu.

Ainsi, peu après ce voyage, je sentis en mon
    sein

palpiter une nouvelle vie...

EUDOXIA.

Elle était si heureuse, votre maman,

qu'elle me sauta au cou sans prévenir :

je tombai à la renverse,

elle tomba à son tour sur moi, et : ah !

la jolie confusion de robes et de rires !

ANTIGONE.

Laïos tremblait dans ses sandales royales :

redoutant l'enfant à naître, y voyant sa mort
    future.

JOCASTE.
Je me dis parfois que tous les hommes
voient dans notre grossesse leur mort future !
Ce qui les écœure, au fond, dans cette af-
    faire,
c'est la vérité. C'est *elle* qu'ils nient et fuient.
Savoir qu'une âme pousse *là*, parmi nos orga-
    nes,
entourée de sang et d'excréments.

EUDOXIA.
Oui,
j'ai beau être dix-huit fois grand-mère,
je me souviens encore de ça : contenir
deux cerveaux, deux cœurs, deux destinées
    mortelles.

JOCASTE.
Ce besoin de vomir, c'est *quelqu'un*.
Ce mal à l'estomac est un être humain.
Son minuscule cœur battant dans le noir du
    noir,
ses doigts se séparant peu à peu et tâtonnant…
Croisant les mains sur mon ventre rebondi,
je réfléchis. Les pensées dans ma tête
baignent dans le sang, elles aussi. Concocté
au cœur de cette *matière*, notre esprit
est-il vraiment si éthéré que cela ?
Seule énigme dont les hommes ne tiennent
    pas
à connaître la réponse. A tout prix, ils vou-
    draient
affranchir l'esprit de ces viscères ; viser le ciel.
Ainsi fuient-ils en général les accouchements.

ANTIGONE.
On les comprend !
Même moi, je commence à tourner de l'œil.

ISMÈNE.
Raconte encore, mère.

ANTIGONE.
On sait que cet enfant périt…

ISMÈNE.
… mais on ne sait comment.

JOCASTE.
C'est vrai, mes filles. Je peux maintenant, je
crois,
vous en dire plus long sur cet épisode péni-
ble.
Qu'en penses-tu, Eudoxia ?

EUDOXIA.
Oui, ma reine. La roue tourne :
le petit devient grand, tes filles seront femmes
et auront affaire aux hommes de toutes sor-
tes.
Elles peuvent t'entendre.

JOCASTE.
Obnubilé donc par la terreur de ce fils,
Laïos tenta d'abord de le tuer en mon sein
(de cette histoire sordide, ô bien-aimées,
je vous fais grâce des détails…). Ses tentatives
de meurtre ayant échoué, l'enfant naquit. Si
beau…
Quand il eut trois jours, alors que je l'allaitais,
Laïos, ivre mort, mauvais, m'arracha l'enfanteau
dont même le nom n'était pas encore choisi,
le suspendit par ses pieds minuscules et fit
mine
de lui fracasser le crâne contre le mur de mar-
bre.

L'enfant s'époumonait, son petit visage tout
  cramoisi.
Et moi, louve démente… D'expérience, je savais
qu'il ne fallait pas contrer le roi dans ces mo-
  ments.
Les flammes de sa rage n'en seraient montées
  que plus haut,
et il aurait pu nous étrangler l'un et l'autre…
Me jetant donc aux pieds de mon mari,
je lui embrassai les genoux… et…
tout en le laissant, à côté de notre fils hurlant,
faire de moi ce qu'il voulait,
j'arrachai de lui ce compromis :
au lieu de supprimer l'enfant devant mes yeux,
il me laisserait le donner à un berger
pour qu'il aille l'exposer sur le mont Cithéron,
non loin de Thèbes : mort certaine, là aussi,
mais douce au moins, parmi les fleurs et les
  vents.

ANTIGONE.
Et c'est avec cette histoire-là, maman,
que tu veux me convaincre de me marier ?

ISMÈNE.
Merci de nous l'avoir dit. Merci, mère.
Ecoute ! le vent de la montagne
chante la vie de ton premier fils.

JOCASTE.
Heureusement que je vous ai…

ANTIGONE.
Mais oui. Mais oui, maman. Tu nous as.

*Chorégraphie : Polynice et Etéocle dansant la
guerre.*

scène 5

On entend, au-dehors, la voix d'un vieillard qui
pousse une charrette en criant : "Donnez-moi
vos morts... Donnez-moi vos morts..."
Jocaste et Eudoxia font leurs ablutions ensem-
ble. Eudoxia fait couler un bain pour Jocaste,
y verse baumes et onguents, aide la reine à se
déshabiller et à entrer dans le bain.
Pendant tout le dialogue qui suit, elle verse de
l'eau sur le corps de Jocaste, lui lave les che-
veux, lui masse les épaules, l'aide à sortir du
bain, l'essuie soigneusement, lui tamponne
doucement tout le corps avec la serviette.

JOCASTE.
L'odeur de la peste envahit tout...

EUDOXIA.
Oui, surtout par cette chaleur.
Elle s'insinue dans nos habits, nous colle à la
    peau.

JOCASTE.
Tu ne devrais pas tant te fatiguer, Eudoxia.
Ton âge te rend fragile, or nous avons besoin
de tes forces et de tes connaissances.

EUDOXIA.
J'ai transmis à Ismène, déjà, la plupart
de mes remèdes. Elle est douée, cette petite.
Si vite, elle a appris les points sensibles et actifs
    du corps
qu'elle doit toucher ! Je l'observe et je m'étonne :
au milieu de la pestilence, des rats qui grouil-
    lent,

jamais son sourire ne la quitte… L'as-tu vue,
tout à l'heure, masser ce pauvre vieillard ?

JOCASTE.
Vrai, cette maladie ne la dégoûte pas. A son
    âge, c'est rare.
Voir de près pourrir la chair et ne pas sentir
vos poils se dresser sur la nuque… Même moi,
je chavire parfois devant cette anti-grossesse
visible, flagrante, nombreuse. Mais Ismène,
    non.
Elle y fait face.

EUDOXIA.
D'instinct, dirait-on,
elle sait tout ce qu'il faut faire :
chauffer des linges devant le feu,
laver les malades, les palper, soigneusement
les frictionner avec de l'huile et des onguents…
leur préparer des soupes à l'ortie, imposer ses
    mains
sur leur front fébrile, leurs mains, leurs ge-
    noux…
Leur serrer la tête contre sa poitrine,
les bercer comme une petite mère,
leur parler et leur chanter, les cajoler
et rire pour leur donner envie de vivre !
Ismène est aussi douée que douce.
Ce n'est pas comme sa sœur…

*Eudoxia, qui s'était enfin mise à sa propre
toilette, vient de découvrir de petites boules
dures sous ses aisselles. Elle s'immobilise un
moment, fixant le vide, puis se rhabille pré-
cipitamment. Jocaste ne s'est aperçue de
rien.*

JOCASTE.

Certes… Antigone avec ses frères pendant ce
    temps
s'entraîne aux arts de la guerre, monte à che-
    val,
s'élance dans des courses effrénées, tombe, pousse
    des cris,
cherche l'extrême, l'exaltation. Parfois il me
    semble
que quand nous dormions ensemble, elle lovée
    dans mon corps,
certains rêves ont glissé de mon esprit dans le
    sien !
J'admire Antigone, Eudoxia. Tu le sais bien.

*Eudoxia, qui pour reprendre ses esprits s'était
mise à ranger machinalement l'armoire, vient
de trouver une longue et très belle écharpe
écarlate.*

EUDOXIA.

Tiens ! voilà longtemps que je ne l'avais plus
    vu,
ce premier cadeau d'Œdipe… Quelle his-
    toire !
Le ténébreux étranger venu de loin,
le prince de Corinthe auréolé de mystère.
Je me rappelle, ô ma reine, quand il s'age-
    nouilla
pour étaler à tes pieds cette écharpe,
toute la cour retint son souffle : on eût dit
une flaque de sang… Ainsi, tu l'as toujours !

JOCASTE.

Le cadeau c'était lui – lui, Œdipe.
Imagine ! à trente-quatre ans,
ayant enduré ce que j'avais enduré,

recevoir de la vie ce cadeau-là !
Un homme si beau, si fougueux, si passionné…

EUDOXIA.
Si jeune, surtout ! Toute femme de trente-
  quatre ans
se pâmerait de recevoir pareil cadeau !

JOCASTE.
Jeune, oui : sa barbe poussait tout juste. C'était
comme si l'on m'avait rendu… mon fils.

LE CORYPHÉE *(au public)*.
Attends un peu, là,
il y a une chose qui me tracasse…
Ça ne lui a pas semblé légèrement louche,
bizarre, je veux dire, suspect à tout le moins,
un peu trop "à point nommé", pour ainsi dire,
qu'entre la mort de son premier époux
et l'arrivée du deuxième, il ne se soit écoulé
que deux petites journées ? Certes, la Sphinxe
  alors,
comme la peste aujourd'hui, affolait les Thébains,
embrouillait leurs pensées. N'empêche :
que fit Créon en apprenant la mort de Laïos ?
Au lieu d'organiser en grande pompe les ob-
  sèques
de celui qui était tout de même le roi et son
  beau-frère,
il n'eut de cesse qu'il ne promette son trône
à qui zigouillerait la Sphinxe ! "Quel est l'ani-
  mal… ?"
demanda en chantant la vierge ailée,
et, quand l'étranger répondit : "L'homme !"
elle s'effondra, raide morte. On ne sait pourquoi,

du reste, mais elle mourut, elle aussi. Ainsi,
en deux temps, trois mouvements, Œdipe
débarqua à Thèbes et prit la place de Laïos,
tant sur son trône que dans son lit.
Franchement, voyant l'enchaînement, tout dé-
    tective
normalement constitué se demanderait :
"A qui profite le crime ?" et répondrait :
"Louche, louche, *very* louche !"

JOCASTE.
Il était triomphant, Œdipe. Sauveur de Thèbes,
il eût pu m'approcher en dominateur.
C'est ce que je redoutais, dépitée d'avoir été
– par mon frère après ma grand-mère – don-
    née à nouveau.
Sauf que cette fois, n'étant plus fillette mais
    femme,
je m'apprêtais à tenir tête à l'étranger…
Mais Œdipe était… tout sauf présomptueux :
dans le regard qu'il posa sur moi se mêlaient
    le respect,
l'admiration éperdue et le désir frémissant…
de sorte qu'au lieu de le toiser, je rencontrai
    son regard
et… fondis.

EUDOXIA.
Une reine fondue. Je le crois !
Avant même d'entendre son nom.

JOCASTE.
Nous étions sans noms, Eudoxia.
Nous étions corps.

EUDOXIA.
Ah ! pour ça,
c'était difficile de l'ignorer.

JOCASTE.
Œdipe le réveilla,
ce corps que j'avais cadenassé vingt ans durant
pour empêcher ses demandes de me tourmenter.
Ce corps dont Laïos s'était servi dans le mépris,
l'indifférence, la perversion – Œdipe le toucha…

EUDOXIA.
Oui, n'est-ce pas, de sa baguette magique…

JOCASTE.
Ne te moque pas !

EUDOXIA.
Me moquer de ma reine, comment le pourrais-je ?
Entre monarques, ces choses-là sont très élevées !
Ce qui chez nous autres rustres est souffle de porcs
et grognements devient chez vous musique des sphères !

JOCASTE.
Bref, et le transforma, ce corps, dans la foulée…

EUDOXIA.
– ah, pour une foulée, c'était une sacrée foulée –

JOCASTE.
… en terre fertile, porteuse de fruits. Et lesquels !
Mes chéris infinis, tous quatre !

EUDOXIA.
Oui, vous, c'est des fruits.
Nos mômes à nous ressemblent plus à des lé-
    gumes.

Prise de vertige, elle transpire maintenant et
ses mains tremblent.

JOCASTE.
Chaque fois qu'ils sont réunis là, autour de la
    table,
et que je les regarde… ces quatre corps jadis
    sortis du mien,
devenus si grands, que j'entends leurs rires,
vois leur vitalité – oui, même leurs querelles,
même les rixes violentes entre Polynice et
    Etéocle –,
je n'arrive pas à croire à mon bonheur.

EUDOXIA.
Crois-y, ma reine. Crois-y. Profites-en.

scène 6

ŒDIPE.
J'ai donc vu, bien-aimée, ton frère revenu de
    Delphes.
Et, d'après la Pythie sacrée qui parle au nom
    d'Apollon,
Thèbes souffre pour une raison bien précise :
le meurtrier de Laïos serait encore là, impuni,
dans nos murs… Cet homme-là, il faut de toute
    urgence
le retrouver, et le tuer ou l'exiler.

LE CORYPHÉE.
Encore une interprétation sauvage, à mon avis.
Voici vingt ans que Laïos a rendu l'âme,
quelques mois seulement que Thèbes est mar-
    tyrisée.
Faut-il croire que les dieux, au début, n'étaient
    pas fâchés ?
qu'ils ont permis à la cité de prospérer, année
    après année,
tandis que le meurtrier était là, dans ses murs,
à se la couler douce – et qu'ensuite, brusque-
    ment,
ils se sont réveillés pour déclarer : "Basta" ?

JOCASTE.
Ecoute, Œdipe… écoute, je t'en supplie.
Que les mortels vivent leur vie, ici, maintenant,
    sur terre !
Que les dieux s'amusent comme ils le souhai-
    tent,
dans l'Olympe, et nous laissent tranquilles !

ŒDIPE.
Vivre notre vie ! Tranquilles !
Mais Thèbes se *meurt*, ma reine.

JOCASTE.
Pour sauver Thèbes il faut, non bannir tel ou
    tel,
mais soigner les Thébains ! Notre devoir de
    régnants
est de rester auprès de notre peuple
jusqu'à notre mort ou à la fin de l'épidémie.
C'est à quoi, avec Eudoxia, je m'applique…
Nos mains secourent les faibles, apaisent leurs
    craintes…
Les enfants et les vieux, comme tu le sais,
sont les premières victimes…

ŒDIPE.
J'ai juré à ton frère, puis au peuple rassem-
    blé,
que cet homme serait banni. Je ne puis me
    dédire.
Il en va de ma crédibilité de roi. Tu sais, Jo-
    caste,
même s'il ne le dit jamais tout haut, Créon
me voit en imposteur sur le trône de Thèbes.

JOCASTE.
Quelle idée, Œdipe ! Tu lis maintenant dans
    les pensées
de mon frère ?

ŒDIPE.
Puisque je n'ai pas, comme vous deux,
Cadmos le fondateur pour ancêtre,
je sens que je dois constamment lui prouver
que le sort de la ville m'importe autant qu'à
    vous.

JOCASTE *(à voix basse)*.
Pourtant, Œdipe, plus que lui ou moi,
plus que tout autre, tu mérites de régner sur
    cette ville.

ŒDIPE.
A cause de la Sphinxe ?

JOCASTE.
Non. Pour une autre raison…

ŒDIPE.
Ce qui est dit est dit : je bannirai celui qui tua
    Laïos.
et Thèbes se relèvera… Mais d'abord : le re-
    trouver,
cet assassin ! Il nous le faut à tout prix.

JOCASTE.
C'est "cet assassin", cher, qui a fait ton bonheur !
S'il n'avait pas tué mon premier mari,
je ne t'aurais jamais vu et nos enfants n'existe-
     raient pas…
Pas de Polynice… pas d'Etéocle…

ŒDIPE.
Mais, Jocaste, que pèse mon bonheur, quand
     je vois
mon peuple succomber aux affres de la peste,
les femmes mettre au monde des bébés morts,
les oiseaux refuser de construire leurs nids, et,
tout autour de Thèbes, les champs laissés à
     l'abandon ?

JOCASTE.
Pas d'Antigone… pas d'Ismène…

ŒDIPE.
Arrête, Jocaste. Si nous n'agissons pas,
nos enfants eux aussi risquent de mourir.

Elle l'entraîne vers le lit et ils font l'amour.

scène 7

Scène entièrement chantée et dansée.
Polynice et Etéocle enveloppent dans un lin-
ceul le cadavre d'Eudoxia.
On entend dans la rue dehors : "Donnez-moi
vos morts ! Donnez-moi vos morts !"

JOCASTE.
Mais mes amours… le temps doit passer.
(Chantant.) Nous devons chacun une vie à la
     vie.

Sans la mort, quels terribles combats
entre ceux qui ne mourraient plus et ceux qui
  grandissent,
avides de terres et de liberté.

TOUS *(refrain)*.
Ce qui ne meurt pas ne vit pas,
ce qui ne vit pas ne meurt pas.

JOCASTE *(chantant)*.
Qu'adviendrait-il si le blé refusait d'être mois-
  sonné ?
Comment souhaiter la croissance sans le dé-
  périssement ?
Tout deviendrait de plus en plus grand, indé-
  finiment,
et notre pays alourdi s'enfoncerait dans la mer !

TOUS *(refrain)*.
Ce qui ne meurt pas ne vit pas,
ce qui ne vit pas ne meurt pas.

JOCASTE *(chantant)*.
Tant d'années elle a été près de nous, chère
  Eudoxia.
Elle survivra en nous toujours, cela ne saurait
  s'arrêter.
Cet amour patient de toute une vie, croyez-
  vous
qu'il puisse s'éteindre ? Pleurons-la, essuyons
  nos larmes.

TOUS *(refrain)*.
Ce qui ne meurt pas ne vit pas,
ce qui ne vit pas ne meurt pas.

JOCASTE *(chantant)*.
Continuons de lui parler, de rire avec elle
et de laisser son regard bienveillant éclairer

chacun de nos jours et nuits
chacun de nos gestes et mots.

TOUS *(refrain).*
Ce qui ne meurt pas ne vit pas,
ce qui ne vit pas ne meurt pas.

scène 8

ŒDIPE.
C'est un complot, c'est un complot !
Faux prophète sale, sournois, sans yeux !
C'est Créon qui l'a payé, j'en suis sûr ! Créon,
qui salive à l'idée de reprendre ma part du
     pouvoir,
l'aura soudoyé pour me raconter des sornet-
     tes.
Imposteur ! Trafiquant d'oracles !

Entre Jocaste.

JOCASTE.
Décidément, la vie te donne en ce moment
bien des raisons de grincer des dents.
Qu'y a-t-il ?

ŒDIPE.
Il dit…

JOCASTE.
Qui dit ?

ŒDIPE.
Tirésias, ce soi-disant prophète… Il prétend…
que, de cette terre, je suis moi-même

la souillure infecte… que c'est moi qui ai tué
    Laïos…
et que j'ai des rapports dégoûtants
avec mes plus proches parents…

JOCASTE.
Mais c'est absurde !
N'en tiens aucun compte, Œdipe.
Prophètes, voyants, chiromanciens, oracles…
Depuis quand prêtes-tu foi à ces paroles-là ?

Silence.

ŒDIPE.
Je suis allé une fois, moi aussi,
interroger la Pythie…

JOCASTE.
Toi ?… Quand cela ?

ŒDIPE.
Avant toi, avant Thèbes, avant la Sphinxe.

JOCASTE.
Et… pour quelle raison ?

ŒDIPE.
Un soir, au palais de Corinthe, mes parents
donnèrent un banquet somptueux :
méchouis, fleurs de courgette,
montagnes de raisins et de gâteaux au miel,
rivières de vins fins. Conversations et musi-
    que
jusque tard dans la nuit… Ce fut,
comme à chaque fois, un enchantement.
Enfin, la tête alourdie par le sommeil,
je fis le tour des tables, comme il convient à
    un prince,
pour prendre congé des convives. L'un d'eux,

un vieillard du nom d'Adraste, ivre mort,
lâcha après mon salut un rot bruyant,
se pencha vers son voisin, et,
tout en faisant mine de chuchoter, prononça
à voix audible une phrase fatale :
C'est un bâtard, Œdipe, tu le sais,
n'est-ce pas ? Œdipe est un bâtard.
Je partis, mais ne pus dormir de la nuit.
C'est un bâtard, Œdipe. Tu le sais ?
Œdipe est un bâtard.
En ma poitrine, à mes tempes
les mots battaient, sonnaient, battaient.
Bâtard, bâtard... Tambour, cymbales,
Œdipe est un bâtard... Tel un poison,
le doute se mit à courir dans mes veines,
me rendant fou. Le matin, à la première heure,
je me glissai dans la chambre de mes parents.
Le couple royal : Polybe, Mérope.
Père pas mon père ? Mère pas ma mère ?
Tous deux dormaient profondément,
épuisés par la fête. Ils étaient vieux.

JOCASTE.
Comme moi à présent ?

ŒDIPE.
Ils étaient vieux et dormaient enlacés. "Qu'y
    a-t-il ?"
demanda ma mère en s'éveillant. Puis, voyant
    mon air hagard,
elle se redressa, inquiète : "Qu'y a-t-il, mon
    ange ?"

Jocaste se met à prévoir et à prononcer les ré-
pliques de Mérope.
Ils jouent la scène en la chantant.

JOCASTE.
"Quelqu'un t'a-t-il fait du mal ?"

ŒDIPE.
"Réveille mon père."

JOCASTE.
"Polybe, notre fils veut nous parler.
C'est urgent, réveille-toi."

ŒDIPE.
"Une question, j'ai une question à vous poser."

JOCASTE.
"Nous t'écoutons, Œdipe, fils bien-aimé.
Parle. Quelle est la cause du tumulte que nous
    lisons
sur tes traits ?"

ŒDIPE.
"Un mot. Un simple mot en est la cause."

JOCASTE.
"Un mot ?"

ŒDIPE.
"Adraste, hier, a insinué que je n'étais pas
votre fils de sang…"

Le chant redevient parole.

JOCASTE.
Et là, Œdipe ?
Polybe et Mérope hésitèrent-ils, rougirent-ils,
jetèrent-ils les yeux à droite à gauche ?
Te répondirent-ils en bafouillant ?

ŒDIPE.
Non. Ils se regardèrent… et éclatèrent de rire.
"Ce vieux poivrot ? dit Polybe. Voilà des années
    que,

même à jeun, il déparle ; imbibé, il est célè-
  bre
pour la méchanceté de ses mensonges.
N'y prête, cher fils, aucune attention.
C'est tout ce qui te tracassait, vraiment ?
Allez, va dormir, Œdipe, et laisse-nous dormir."

Silence.

JOCASTE.
Mais... le mot ne partait pas.

ŒDIPE.
Tu me connais bien, Jocaste. Tel un ténia,
le mot me dévorait de l'intérieur.
Bâtard, bâtard. Non le fils
du roi et de la reine de Corinthe, mais...
Mais quoi ? Chiard de cocher ? morveux de
  souillonne ?
Homme, en un mot, de basse naissance ?

JOCASTE.
Aucune naissance n'est basse. Aucune.

ŒDIPE.
D'ailleurs, vu son grand âge, comment
Mérope avait-elle pu porter un enfant... ?

JOCASTE.
Même âge que le mien à présent, disais-tu ?
Et toi, à l'époque ? L'âge qu'ont aujourd'hui nos
  fils ?
(Sarcastique.) "Comment ? comment ?"

ŒDIPE.
Ils m'ont menti ! me disais-je, de plus en plus
  égaré.
Ils me mentent encore, tout n'est que trompe-
  rie !

Mon statut de prince est un vol ; mon règne
    futur
sur Corinthe, une usurpation. O Jocaste !
Atroce, intolérable sensation…

JOCASTE.
Tu allas donc à Delphes…

ŒDIPE.
… pour en avoir le cœur net.

scène 9

Entre le Coryphée.
Tonnerre, foudre : on voit s'ouvrir les redouta-
bles portes en pierre du temple de Delphes,
au-dessus desquelles peut se lire la devise :
"Connais-toi toi-même"… On voit la silhouette
noire d'un homme pénétrer dans le temple… et
s'allonger sur un divan. Derrière lui surgit l'om-
bre effrayante du Pythanalyste.

ŒDIPE.
Je racontai tout au dieu, par le biais de sa si-
    bylle,
et, pour finir, lui posai la question : "O vous
qui conduisez chaque jour d'un horizon à
    l'autre
le char du soleil, et voyez tout – *de qui suis-je*
    le fils ?"

JOCASTE.
Pourquoi, ô mon époux, pourquoi
ne m'as-tu jamais parlé de ceci ?

ŒDIPE.
Mon silence sur cette histoire, Jocaste, s'explique...
par la terreur que m'inspira sa réponse.

JOCASTE.
A savoir ?

Œdipe fait signe à Jocaste d'approcher. Le
Coryphée s'approche, lui aussi. Ils entendent
en même temps le secret de la prophétie.

Ah ! Apollon exprime ses propres désirs
en les attribuant à autrui. Voilà longtemps
qu'il rêve de trancher le fil des jours de papa
Zeus
pour folâtrer tranquille avec maman Léto !

LE CORYPHÉE.
Oh, c'est d'un banal, c'est décourageant à la
fin !
Les pythanalystes n'ont aucun sens de l'inven-
tion.
Ils disent toujours la même chose !

ŒDIPE.
Voilà pourquoi, au lieu de rentrer à Corinthe,
je dirigeai mes pas vers Thèbes et un autre
avenir.
Certes, je vouais à mes parents un amour im-
mense
et savais qu'ils seraient affligés tous deux
par mon exil aussi subit qu'inexplicable...
Mais j'aimais mieux m'éloigner d'eux à jamais
que courir le risque de voir se réaliser
cet oracle d'épouvante.

LE CORYPHÉE.
Attends, attends, attends un peu.
J'essaie de comprendre, tu vois, et là il y a un
    truc
que je ne comprends pas le moins du monde.
Alors on reprend tout, on rembobine, d'ac-
    cord ?
Donc. Au cours d'un banquet bien arrosé,
tu te fais traiter de *bâtard* par une brute éthy-
    lique
et le doute commence à te ronger, c'est bien
    ça ?
Tu te précipites donc à Vienne, 'scuse, à Del-
    phes,
et tu demandes à qui de droit si Polybe et
    Mérope
sont oui ou non tes vrais parents. Et que te
    répond-on ?
"Tu vas niquer ta mère et buter ton père !" Non,
    mais,
il était sourd ou quoi, ce Pythanalyste ?
Tu demandes quel est ton passé,
elle te raconte ton avenir.
Tu demandes qui sont tes parents,
elle te raconte ce que tu feras avec.
Et ensuite tu te comportes comme si
elle t'avait *effectivement* répondu !
Comme si elle t'avait dit : "Mais oui, bien sûr
que Polybe et Mérope sont tes parents – du
    reste,
voici ce qui leur pend royalement au nez !"
Mais ce n'est pas ce qui a été *dit*, Œdipe !
Comment as-tu pu te laisser embobiner
au point d'oublier la raison, première et der-
    nière,
de ton voyage à Vienne, 'scuse, à Delphes ?

JOCASTE.

A moi à présent, Œdipe, de te poser quelques
   questions.

(En chantant.) Le roi et la reine de Corinthe
   ont-ils été bons pour toi ?

ŒDIPE.

Oui.

JOCASTE *(chantant)*.

T'ont-ils nourri, ont-ils joué avec toi,
t'ont-ils bordé dans ton lit la nuit ?

ŒDIPE.

Oui.

JOCASTE *(chantant)*.

T'ont-ils soigné pendant tes maladies,
t'ont-ils parlé, t'ont-ils consolé
quand tu avais du chagrin ?

ŒDIPE.

Oui.

JOCASTE *(chantant)*.

Polybe et Mérope, Œdipe, sont tes vrais parents !

Tu n'en auras jamais d'autres !

ŒDIPE.

J'en ai eu d'autres.

JOCASTE.

Mon amour, nous sommes ce que nous fai-
   sons.

(Chantant.) Etre parent, c'est se comporter en
   parent :

tenir un enfant dans ses bras, vivre avec lui,
calmer ses angoisses et ses fièvres,
le protéger, le choyer et le bercer.

Lui apprendre, minute après minute,
les mots et le monde.

Fin de la chanson.

Et quel départ brutal ! Si je me mets, amour,
à la place de ta chère mère, cela me déchire le
    cœur.
Imagine : si, aujourd'hui même, un de nos
    fils
– de but en blanc, sans prévenir, sans embras-
    sades,
sans un seul mot pour adoucir le choc –
s'en allait pour ne jamais revenir...
Mais j'en mourrais ! Toi non ?

ŒDIPE.
... Ces deux n'en sont pas morts.

JOCASTE.
Tu t'acharnes à ton propre malheur, Œdipe.
Regarde ! tu as laissé un *mot* venir fracasser
tes vingt années de bonheur corinthien. Et là
tu cherches d'autres mots pour anéantir
nos vingt années de grand bonheur à Thèbes.

Œdipe se détourne d'elle.

Ecoute, mon roi. Ecoute-moi bien.
Quand sa première femme mourut en cou-
    ches,
mon frère Créon me donna leur fils Méné-
    cée.
Je l'allaitai et l'élevai comme mon propre fils.
C'est mon fils, lui aussi. Combien ai-je d'en-
    fants ?
Pourquoi compter ? Du reste, qu'est-ce qu'un
    enfant ?

L'enfant ne vit-il pas encore en nous, adul-
tes ?

N'a-t-on pas *toujours* besoin d'être materné ?

Personne mieux que moi, qui ai vu s'éteindre
la mienne,

ne mesure l'importance d'une mère ; son
amour

– grand ou petit, étouffant ou affamant –

sera le modèle pour tous ceux qui suivent.

Effroi glacial d'une vie sans mère ! Elle connut
cela,

la petite Jocaste, passée de main en main,

ballottée, affolée, contrainte à un hymen pré-
coce…

Ah ! qu'aurais-je fait sans Eudoxia ?

C'est elle, cette esclave alors toute jeune, riante
et douce,

aux yeux pleins de fleurs et à la poitrine re-
plète,

qui me câlina, m'apaisa, me materna et, de jour
en jour,

ramena un peu de gaieté dans ma vie. Sans
elle,

aurais-je même survécu à mon premier ma-
riage

– à son ennui, à son noircissement de l'âme ?

Bien des soirées sinistres, les contes d'Eudoxia,

ses chants, ses mains fermes sur mon dos,

ses histoires prodigieuses ont transformé

le palais-sarcophage en palais-paradis.

Comprends-tu, à la fin ! je voudrais nourrir

le monde entier, prodiguer des soins à tous,

faire éclore, de tous, l'intelligence et le rire.

La maternité est partout, Œdipe ! Elle est…

le sens même de la vie. Y compris de nos
    étreintes…
Toi aussi, bel époux, tu es ma mère !
Tu me nourris et me consoles…

ŒDIPE.
Tu cherches à noyer le poisson.
Les phrases de Tirésias me torturent.
Raconte-moi, Jocaste, les circonstances
de la mort de ton premier mari…

*Ils s'éloignent et continuent de discuter ensem-
ble pendant que le Coryphée vient sur le devant de la scène.*

LE CORYPHÉE.
Enigme sur énigme. A côté de toutes celles-ci,
celle de la Sphinxe était du pipi de chat !

*Il observe le dialogue intense entre Œdipe et Jo-
caste. D'abord Œdipe parle et Jocaste écoute.*

C'est maintenant, après sept mille jours de vie
    commune,
qu'il lui demande pour la première fois
comment, où et quand est mort son premier
    mari,
à quoi il ressemblait, et qui l'accompagnait ce
    jour-là ?

Maintenant Jocaste parle et Œdipe écoute.

C'est maintenant, après sept mille jours de vie
    commune,
qu'elle lui fait part enfin du présage fait à
    Laïos,
"Si jamais tu as un fils, tu mourras de sa
    main",

lui narre la naissance de son premier enfant,
et décrit le sort funeste qu'ont connu *a)* ce fils
  et *b)* son père :
preuve certaine, d'après elle, que l'oracle disait
  faux ?

*De plus en plus bouleversé, Œdipe se prend la
tête dans les mains.
Leur dialogue se poursuit.*

Mais de quoi ont-ils bien pu *parler* tout ce
  temps,
nom d'un Nom ? Passé le premier regard, les
  premiers mots
("Salut, tu me plais"), n'ont-ils même pas
  échangé
quelques informations de base ? Oh ! je ne
  parle pas
de questions compliquées, genre : "D'où viens-
  tu ?"
"Qui sont tes parents ?" – mais de choses ba-
  nales,
du style… "T'as fait quoi hier, dis ?" "Hier ?
Voyons, laisse-moi réfléchir… Ah oui ! hier,
juste avant de tuer la Sphinxe, j'ai massacré
  cinq mecs
au croisement des Trois-Routes." "Tiens,
quelle coïncidence ! Pas plus tard qu'hier, mon
  époux
a été massacré pile-poil à cet endroit ! Mais,
  bon,
c'est pas tout ça. Marions-nous, beau gosse,
j'ai hâte qu'on se retrouve ensemble au plu-
  mard !"

*Le Coryphée se retire à l'arrière-plan et le dia-
logue du couple redevient audible.*

ŒDIPE.

On ne m'avait pourtant pas élevé pour être
    insolent. Mais,

venant après mon père Polybe, qui était la
    bonté même,

cet homme-là – arrogant, hautain, condescen-
    dant,

semblant estimer que tout lui était dû –,

cet homme-là, je l'ai haï.

JOCASTE.

Tu avais raison de le haïr.

ŒDIPE.

Il m'a frappé, Jocaste – oui, de son double
    aiguillon,

sur la tête, comme si j'étais un bœuf ! Jamais,
    sur moi,

mon père n'avait levé la main mais, çà et là, à
    Corinthe,

j'avais vu frapper des esclaves, et j'avais souf-
    fert pour eux.

Ma mère m'avait dit que, lorsque j'aurais charge
    d'esclaves,

il ne faudrait jamais les frapper… La violence
    me submergea.

Ils ne virent rien venir, n'eurent le temps de
    rien comprendre.

Ils s'attendaient à ce que je m'écrase, m'écroule,

me prosterne à leurs pieds. Fou de rage,

plus jeune qu'eux et plus souple, je me déchaî-
    nai.

En quelques instants ce fut fini : leurs mem-
    bres,

morceaux de viande crue sanguinolente,

jonchaient le chemin autour de moi. Cinq hom-
    mes

en tout : un sixième, à mon grand dam, parvint
    à s'échapper...
Leur sang maculait ma lame, mes mains, mes
    bras,
il avait giclé sur mon visage, je le léchais sur
    mes lèvres,
j'ahanais.

JOCASTE.
Mon sauveur. Mon sauveur.

LE CORYPHÉE.
Non, mais c'est plus qu'un grain qu'elle a,
cette dame : elle est carrément givrée !

ŒDIPE.
Je veux faire venir le serviteur qui, seul,
réchappa à la scène du meurtre de Laïos.

JOCASTE.
A quoi bon, Œdipe ? Cet esclave, vieux à pré-
    sent,
garde des troupeaux dans des collines éloi-
    gnées.
Dès que, rentrant à Thèbes, il vit
que tu avais pris la place de Laïos
sur le trône et dans mon lit,
il me supplia de lui donner un travail
à l'écart du palais.

LE CORYPHÉE.
On le comprend...

JOCASTE.
Pourquoi perturber sa vie paisible ?

ŒDIPE.
Pour voir s'il dit, comme toi,
que Laïos a été tué par *des* brigands.

Le pluriel me sauve. A ce carrefour,
j'ai bien tué un homme – et même, comme je viens
de te le dire, plusieurs – mais j'ai agi seul.
Je veux voir ce serviteur.
Donne l'ordre de le faire chercher.

Silence.

JOCASTE.
Tu le verras donc.

Elle sort.
Gémissements de la peste, de plus en plus envahissants.
Bataille dansée entre Polynice et Etéocle.

scène 10

Jocaste, Antigone.

JOCASTE.
Ah ma fille, ma grande fille, serre-moi dans tes bras,
je vais devenir folle !

ANTIGONE.
Je te serre, maman.
Descends dans tes pieds. Là. Là. Les pieds nous montrent,
parfois mieux que la tête, le chemin.

JOCASTE.
Tu as raison.
Depuis toujours, voyant un mal,
les humains en cherchent le remède au ciel,
alors que c'est sur terre qu'il faut le chercher...

Les dieux, au lieu de nous inciter à l'entraide,
sèment entre nous soupçon, discorde et haine,
nous dressent les uns contre les autres,
nous mentent effrontément ! Ah ! il aurait mieux
     fait,
Laïos, de ne jamais aller à Delphes !

ANTIGONE.
Pourquoi dis-tu cela, ma mère ?

JOCASTE.
Car c'est pendant son absence...

ANTIGONE.
Oui ?

JOCASTE.
Oh ma fille. Oh, Antigone.
Tu es femme à présent, n'est-ce pas ?
Même si tu ne saignes pas encore,
il faudra bien que tu sois femme – car
la catastrophe, je le sens, est imminente.
Ecoute, et apprends à te méfier de ces dieux
qui parlent par la voix des hommes.

ANTIGONE.
Je t'écoute, mère. Tes paroles suscitent en moi,
à mesures égales, effroi et curiosité !
Pendant l'absence de Laïos... ?

JOCASTE.
Etrange : personne ne s'est demandé pour-
     quoi,
lors de mon premier hymen, je mis si long-
     temps
à porter un enfant. Si, pour partenaires de ses
     jeux d'éros,
Laïos préférait les éphèbes – il avait kidnappé
     le fils d'un

de ses amis à l'étranger, et l'avait installé ici,
    au palais,
sous mon nez –, il se souciait néanmoins,
comme tous les hommes, d'avoir un héritier…

ANTIGONE.
Quelle fut donc la raison de cette longue at-
    tente ?

JOCASTE.
C'est simple : le roi Laïos était stérile. Eh oui !
Même si l'on rechigne à l'admettre, la graine
    aussi,
et non seulement le sol, peut manquer de fé-
    condité.
Deux longues années durant, il me laboura
de sa charrue mortifère, versant en moi
non la semence de la vie, mais l'épure de ses
    turpitudes,
un pauvre liquide sans force. Ah ! j'étais jeune,
    Antigone,
et belle… et tellement malheureuse ! Presque
    chaque jour,
les larmes me mouillaient les yeux…

ANTIGONE.
Eudoxia me l'a dit, une fois,
qu'à mon âge tu pleurais. Pour me rappeler la
    chance
que j'avais d'être une jeune fille libre et respec-
    tée.

JOCASTE.
Ah. Eh bien, Eudoxia
n'était pas la seule à deviner ma détresse.
Nicos, jeune serviteur du palais, valet du roi,
m'avait souvent vue pleurer… Ce soir-là, Laïos
    à Delphes…

c'était l'hiver, les murs du palais étaient gla-
    cials...
Nicos vint faire un feu dans ma cheminée...
je sanglotais sur le lit... ma vue le bouleversa...
    Il vint
me demander à voix basse s'il pouvait m'être
    utile...
Jamais il n'aurait osé, serait-ce d'un frôlement
    de la main,
toucher la reine... C'est moi, je l'avoue, qui,
    sentant
à mes côtés sa présence douce, me suis brus-
    quement levée
pour me jeter, éperdue, dans ses bras... Comme
    s'il était
mon père ! ou mon frère ! Ah ! Antigone,
je vivais loin de toute étreinte affectueuse,
de toute chaleur charnelle ! M'étant une fois
    accrochée
au corps de ce jeune homme, tel un noyé à sa
    barque
dans la tempête, je ne pus me résoudre
à le relâcher... Nos corps décidèrent pour
    nous.
Ils étaient jeunes, et savaient, ensemble,
ce qu'ils avaient à faire. Nous avions l'âge d'Is-
    mène...
Tu me comprends ? Oh, Antigone...

ANTIGONE.
Ce n'est pas avec l'esprit que je te comprends,
    mère,
mais avec le sang, en profondeur... Auprès
    d'Hémon,
en ce moment, je suis comme un de ces atte-
    lages

dont les deux chevaux s'élancent en sens
    contraire :
l'esprit dit non, mais le sang dit oui ! oui ! oh
    oui !

JOCASTE.
De cette seule étreinte, un enfant germa.
Un bâtard, donc. C'est lui, Antigone – ce fils
    d'esclave,
et non le fils du roi, car ce roi n'eut jamais de
    fils –,
qui fut donné au berger, et exposé sur le Cithé-
    ron.

ANTIGONE.
L'oracle a donc menti…

JOCASTE.
Les oracles, ma petite étoile brillante,
prennent la dictée bête des hommes et l'am-
    plifient,
c'est tout.

ANTIGONE.
Oh ! mère… Ton histoire est décisive.
Je te remercie de la confiance que tu m'as
    faite.
N'aie crainte : nous sommes forts, nous, tes
    enfants,
des mille forces que tu nous as inculquées.
Ensemble, nous saurons détourner cette cata-
    strophe
que tu pressens…

JOCASTE.
Viens, aînée ardente, serre-moi encore !

ANTIGONE.
Oui, mère.

JOCASTE.
A présent, laisse-moi me reposer…
Du plomb circule dans mes veines.

Antigone sort. Jocaste reste seule.

JOCASTE.
Oui c'est par moi, non par Laïos, qu'Œdipe est
    roi !
Le roi de Thèbes est sorti de mon ventre, s'en
    est éloigné…
y est revenu.

scène 11

Œdipe, Jocaste, le Coryphée.

LE CORYPHÉE.
De plus en plus opaque, cette histoire.
Bouteille à encre, mystère et boule de gomme.
L'intrigue se corse : ce matin tôt, de Corinthe,
un messager vint porter à Œdipe
une nouvelle mi-fiel mi-miel.
Son père Polybe est mort, voilà le fiel, mais
    – miel –
il devient du coup lui-même le roi de l'Isthme !
De joie, Jocaste étreignit son époux :
"Tu vois bien que les oracles sont du pipeau.
De sa belle mort est mort Polybe, non par ta
    main !"
"Il est peut-être mort du regret de ne pas me
    voir
– dit Œdipe, têtu – et dans ce sens je l'aurai
    tué.
D'ailleurs, poursuivit-il, demeure ma mère…"

"Qu'a-t-elle encore, ta mère ?" soupira Jocaste.
"Je ne puis rentrer à Corinthe, insista Œdipe,
de peur de forniquer avec ma mère !"
Et là, au lieu de s'exclamer : "A l'âge qu'elle a ?"
comme l'aurait fait toute personne sensée
(car Mérope est largement septuagénaire),
Jocaste lui dit : "Bien des jeunes gens
rêvent de partager la couche de leur maman…
Ne te tourmente plus avec cela."
Par bonheur, renseigné sur la raison
des angoisses œdipiennes, le messager
les balaya allègrement en révélant
qu'il n'était *pas*, du couple corinthien, le fils,
mais un orphelin, enfant trouvé, bref, bâtard
que lui avait remis, tout bébé, un berger
de Thèbes, et qu'il avait remis à son tour
au triste couple royal sans succession.
Œdipe alors, comme si une telle idée
ne lui avait jamais traversé l'esprit
– alors que c'est le mot de bâtard qui (*nous*
on s'en souvient !) l'avait jeté sur les routes –,
se mit dans tous ses états…

JOCASTE.
Laisse tomber, je t'en supplie !

ŒDIPE.
Avoue-le : tu redoutes d'apprendre
que je ne te vaux pas, ne te mérite pas,
que je suis fils d'esclaves.

JOCASTE.
Œdipe,
pourquoi me parles-tu de mérite ?
As-tu quatorze ans, ou bien quarante ?
Nous sommes là, *toi*, *moi*, toute l'histoire
de notre vie commune. On s'aime, oui ou non ?

Alors, je t'en conjure, arrête !

ŒDIPE.
La vérité. Je dois connaître la vérité.

JOCASTE.
Laquelle ? Celle des mots ? ou celle de la vie ?
Elle est là, la vérité : devant toi, en toi, tout
autour de toi, si seulement tu pouvais la voir !
Depuis vingt ans on l'a *bâtie ensemble,*
cette vérité : labeurs, fêtes, repas, gouverne-
      ment,
les yeux dans les yeux, la main dans la main...

ŒDIPE.
Tu rougis, avoue-le, de mon obscurité !
Voilà pourquoi tu veux m'empêcher de savoir...

LE CORYPHÉE.
Obnubilé, Œdipe cuisine de plus près le mes-
      sager.
"De quoi m'as-tu sauvé ?" lui demande-t-il.
"Tes chevilles, répond le messager,
devraient te donner la réponse..." Et de nous
      rappeler,
au cas où nous l'aurions oublié, que l'enfant
      avait eu
les pieds transpercés au niveau des chevilles,
et qu'à cet état douloureux il devait même son
      nom,
choisi par le roi Polybe : Œdipe, "pieds enflés".
Alors là, m'en tomber, les bras le font.
Comment croire que Jocaste, vingt ans du-
      rant,
ait partagé le lit de ce monsieur
sans remarquer au niveau de ses chevilles
les traces de fer laissées par les entraves ?

JOCASTE *(chantant).*
J'ai bien vu les cicatrices.
J'ai vénéré les cicatrices.
Souvent, au cours de nos étreintes,
je les ai caressées, embrassées, léchées !
Oui j'ai aimé, d'Œdipe, qu'il boite
de façon presque imperceptible.
D'Œdipe j'ai tout aimé, oui, tout :
le son de sa voix quand, ma tête sur sa poitrine,
je l'écoutais parler pendant des heures…
la forme de son dos et de ses épaules,
ses cuisses puissantes, ses grandes mains vi-
    riles,
l'odeur de son sexe et de ses aisselles,
ses colères absurdes, ses impatiences d'enfant,
ses énormes éclats de rire, ses ronflements,
ses jeux avec nos quatre fils et filles
et la sagesse qu'il leur enseignait,
sa façon de se cabrer au-dessus de moi,
de bouger en moi, dans mon ventre,
de râler, de régner, d'agir, de vagir…

ŒDIPE.
Jocaste !

JOCASTE *(chantant).*
Tu n'es mon fils que par les mots.
Trois jours, trois jours seulement,
je t'ai donné le sein !

ŒDIPE.
Tu… m'as… tu…
que dis-tu ?

JOCASTE *(chantant).*
Non, d'accord, mon ange :
vingt ans durant, je t'aurai materné, sauf que
ce n'était pas la vingtaine habituelle !

ŒDIPE.
L'horreur me coupe le souffle…

JOCASTE.
Ainsi, je te fais horreur à présent. Un mot,
et vingt années de joie deviennent horreur.
Je refuse, Œdipe ! Je refuse ces abstractions !
Elle est réelle, la félicité de notre hymen :
tant d'heures consacrées
aux grands travaux de l'amour…
mais aussi notre gouvernement partagé,
nos longues soirées d'intelligence,
de confidences, d'histoires…
Tu renierais tout cela pour un mot ?

ŒDIPE.
La vérité, ce mot. *La vérité !*

JOCASTE.
Il existe bien des vérités, Œdipe.
Tu es *cet homme-ci*,
et tu as aimé Jocaste,
la femme qui se tient devant toi.
Ta Thèbes aux sept portes. Ecoute…

ŒDIPE.
Non ! Jocaste, non, détache tes mains de moi,
et laisse-moi réfléchir… La tête me tourne.
La terre se dérobe sous mes pieds. Ainsi… de
    Thèbes,
ma cité adorée, de toutes les Thèbes souillées
    par moi
dans l'ignorance de qui j'étais, je vais devoir
m'éloigner, partir en exil définitif.
J'ai prononcé une malédiction et c'est moi-
    même
qu'elle frappe. T'aimer ainsi, comment le puis-
    je ?

Ta folle passion m'affole : c'est un vent dévas-
  tateur
qui m'envahit, me remplit, tempête et me tra-
  verse
de la naissance à la mort – madame, mabête,
  maman,
marraine, mamante, mon épouse délirante,
  vois-tu
ce chaos de mots ?! Scandale du sens,
sceau de l'impossible ! Un tel amour
serait la fin de la grammaire, de la pensée,
du bel ordonnancement du monde.
Effroi définitif, crime irréparable...

JOCASTE.
Je t'ai aimé, oui – et bien des femmes
aiment leur mari – comme un fils *aussi*.
J'ai porté sur tes colères un regard bienveillant,
sauté de joie chaque fois qu'à grands pas
tu entrais dans une idée et la rendais réelle,
aimé te tenir dans mes bras, calmer tes peurs,
bercer ta tête toute tournoyante de rêves,
grimper sur les remparts pour te voir t'éloigner,
en sachant que, pour partir d'un pas si as-
  suré,
tu devais me savoir fichée dans ton cœur,
moi ton foyer...

ŒDIPE.
Vertige indicible... Les temps basculent,
les générations s'inversent, les lits se superpo-
  sent
et les dieux se détournent, ébahis ou furi-
  bards...

JOCASTE.
Les dieux se détournent ! A la bonne heure !
Elle démarre comment, l'histoire des dieux ?
Par un inceste ! Terre enfante Ciel, puis s'unit
    à lui
– son fils – pour donner naissance à Océan.
Ensuite, ils font ensemble treize autres en-
    fants
dont Cronos, qui châtre son père et *dévore* ses
    enfants !
Et pourquoi ? Parce qu'un jour, d'après l'ordre
    du Destin,
malgré sa force, il doit être détrôné par son
    propre fils.
Zeus fornique et viole à droite à gauche, et
    quand
sa énième épouse, Prudence, est sur le point
    d'accoucher,
que fait-il ? *Il la renferme dans ses propres*
    flancs !
Et pourquoi ? Parce que, d'après l'ordre du Des-
    tin,
elle doit lui donner des enfants fameux par
    leur sagesse :
là, Athéna, plus tard un fils qui, rempli de cou-
    rage,
serait devenu le roi des hommes et des dieux.
Ça ne te rappelle rien, mon cher Œdipe ? Rien
    du tout ?
Ne trouves-tu pas que le comportement des
    dieux
ressemble drôlement à celui des hommes ?

ŒDIPE.
Tes paroles me glacent le sang, c'est blasphème
    pur.

JOCASTE.

Ne te semble-t-il pas que les dieux sont peu
sûrs d'eux,

colériques, erratiques et violents ? Et pourquoi ?

Parce qu'ils ont peur ! Et de quoi auraient peur
des immortels ?

Curieux : de la même chose que les mortels,
des faibles !

Des femmes et des enfants ! L'idée du temps
qui passe,

de la roue qui tourne, des fils qui évincent leur
père

les fait trembler, s'obséder et cauchemarder…

C'est pourquoi ils briment et punissent les enfants,

nient, écrasent et incorporent les mères… Ah,
Athéna !

Si mon chemin croisait le sien, c'est une belle
gifle

que je lui donnerais, à celle-là ! Deux claques,
oui !

Cette menteuse éhontée ! Se vanter de ne pas
avoir de mère,

d'être née de son seul père… alors que sa pauvre maman enceinte

a été *enfermée* au préalable dans le corps de
Zeus !

Horreur ! La fille a beau jeu, ensuite, de revêtir
l'armure

et de pousser les hommes à la guerre…

(Temps.)

Tu n'étais pas ainsi, Œdipe.

Tu n'étais pas comme Laïos, ni comme Créon.

Mari, amant, sauveur, partenaire, complice,

tu savais partager le pouvoir, comme le pain,

comme la jouissance. Et là, est-ce possible ?

sous mes yeux, tu deviens banal ! Vous
nous aimez filles, nous changez en mères
et nous reprochez de ne plus être filles. Oui,
    banal.
Va ! Le vieux berger est arrivé. Va lui parler.

*Effets de lumière, questionnements chaotiques,
les gémissements de la peste atteignent leur
paroxysme, puis...*
Silence.

scène 12

Jocaste est dans sa chambre. Elle chante.

JOCASTE.
Pardon – ô, pardonnez-moi, pieds enflés,
pieds chéris... je vous quitte.

J'ai aimé les pieds d'Œdipe
qui portaient, ineffacés, les stigmates
de ses premiers jours sur terre.
Tous nous avons de tels stigmates
tantôt visibles, tantôt invisibles.

Pardon – ô pardonnez-moi, pieds enflés,
pieds chéris... je vous quitte.

La Sphinxe... était... ma sœur.
Toujours, vous voulez tuer l'énigme,
dissiper le mystère, nettoyer,
éclairer, répondre coûte que coûte
aux questions qui vous tourmentent.
Ainsi, vous forcez les ténèbres,
mais c'est au cœur des ténèbres
que s'élabore la vie.

Pardon – ô pardonnez-moi, pieds enflés,
pieds chéris… je vous quitte…

*Elle prend l'écharpe rouge, premier cadeau
d'Œdipe, monte sur une chaise, attache fer-
mement un bout à une poutre et se noue l'autre
bout autour du cou.*

J'ai aimé Œdipe bébé, Œdipe jeune homme,
Œdipe époux et père, amant fougueux,
Œdipe imparfait, colérique, orgueilleux,
Œdipe penaud et erratique…

Pardon – ô pardonne-moi,
homme de ma vie, je te quitte.

J'ai aimé mes cinq enfants
semblables et différents, débordants de vie :
Ismène la douce, Antigone l'écorchée,
Etéocle l'inquiet, Polynice le solaire,
Œdipe le premier et dernier…

Pardon – ô pardonnez-moi,
mes enfants adorés, je vous quitte.

J'ai aimé les humains
tous faibles, tous imparfaits,
dont la démarche normale est le boitillement,
s'aidant, s'épaulant, se soutenant,
s'appuyant les uns sur les autres.
Parfaits, nous n'aurions point besoin d'amour…

Pardon – ô pardonnez-moi,
si chers humains, je vous quitte.

(Parlé.) Il est temps.

Elle se pend.

scène 13

LE CORYPHÉE.
La pendaison, mort féminine :
ne pas déchirer les chairs, ne pas faire couler
le sang précieux de la vie. Œdipe, lui, en
   homme,
arrachera les broches d'or de Jocaste sa reine
et s'en servira pour se crever les yeux. (Plus
   tard,
il partira errer sur les routes, et mourra en exil.)
Etéocle et Polynice, en hommes aussi,
s'entre-égorgeront – mais Antigone,
fidèle à l'exemple de sa mère, se pendra.
Puis suicides en chaîne : Hémon, fils de Créon,
cousin et fiancé d'Antigone, enfoncera une épée
dans sa poitrine. Sa mère avalera de la ciguë.
Hécatombe impressionnante ! Seul Créon s'en
   tirera :
l'homme méthodique, prudent, circonspect,
respectueux des formes et des normes,
finira par régner seul sur la ville de Thèbes.
Louche, louche, *very* louche – vous êtes d'accord ?
Ce sont toujours les plus lâches qui s'en sortent !
Mais non, j'oublie...

Ismène, sortant du placard dans lequel elle
était cachée, vient enfouir son visage dans la
robe de sa mère morte. Elle embrasse ses jam-
bes. Elle pleure.

ISMÈNE *(chantant).*
Et les histoires, maman ?
Toutes les histoires

que je voulais te raconter
quand j'aurais été ta maman
et toi, ma petite fille ?

*On entend Œdipe pousser un hurlement et se
mettre à cogner à la porte.*
Ismène se sauve.

Rideau.

JOCASTE REINE
de Nancy Huston

Création le 1er octobre 2009
au Théâtre des Osses – Centre dramatique
fribourgeois à Givisiez, Suisse.

Mise en scène de Gisèle Sallin

Jocaste	Véronique Mermoud
Œdipe	Olivier Havran
Le Coryphée	Frank Michaux
Eudoxia	Chantal Trichet
Ismène	Raïssa Mariotti
Antigone	Anne Schwaller
Polynice	Cédric Simon
Etéocle	Jean-Nicolas Dafflon
Scénographie et costumes	Jean-Claude De Bemels
Musique	Anne-Marie Fijal
Chorégraphie	Tane Soutter
Cheffe de chant	Sylviane Huguenin-Galeazzi
Lumière	Jean-Christophe Despond
Maquillage et coiffures	Katrine Zingg

NOTE DE L'AUTEUR

Je me suis permis de glisser dans le texte de *Jocaste reine* quelques vers empruntés à des auteurs dont la lecture m'a aidée à l'écrire. Il s'agit de Goliarda Sapienza, *Le Sens d'une vie* (éd. Viviane Hamy, 2008), pour les histoires qu'Ismène veut raconter à sa mère quand elle sera vieille (scènes 4 et 13) ; Denis Hirson, "Initiation", *Jardiner dans le noir* (Le Temps qu'il fait, 2007), pour les blessures dont s'enorgueillissaient, petits, Polynice et Etéocle (scène 4) ; Euripide, *Les Phéniciennes*, pour l'échange entre Laïos et Jocaste au sujet des richesses (scène 5) ; Séverine Auffret, poème inédit, pour le refrain du chant funéraire (scène 7) ; Henry Bauchau, *Œdipe sur la route* (Actes Sud, 1990), pour la manière dont Œdipe soulève Antigone (scène 2), et *Antigone* (Actes Sud, 1997) pour la nécessité de la mort que chante Jocaste (scène 7). Qu'ils en soient ici remerciés.

N. H.

Leméac Éditeur reconnaît l'aide financière du gouvernement du Canada par l'entremise du Programme d'aide au développement de l'industrie de l'édition (PADIÉ) pour ses activités d'édition et remercie le Conseil des arts du Canada du soutien accordé à son programme de publication.

Ouvrage réalisé par l'atelier graphique Actes Sud. Achevé d'imprimer en juillet 2009 par l'Imprimerie Floch à Mayenne pour le compte des éditions Actes Sud, Le Méjan place Nina-Berberova, 13200 Arles.
Dépôt légal 1re édition : septembre 2009.
N° impr. : 74330.
(Imprimé en France)